Editions Notari

LIVRE
CLAP

Madalena Matoso

CONCEPT ET ILLUSTRATION : Madalena Matoso
EDITION ORIGINALE © Planeta Tangerina, 2014
ADAPTATION FRANÇAISE : Mathilde Vischer
POUR CETTE ÉDITION : © Editions Notari, 2015
ISBN : 978-2-940408-79-5
Morz dit a totes aises tprot

www.editionsnotari.ch
Collection L'oiseau sur le rhino
Section Les hirondelles (pour les plus petits)
Sous la direction de Paola Leoni Notari

Ouvrage publié avec l'aide de la Direction générale
du livre et des Bibliothèques et du Ministère
de la Culture / Portugal

GOVERNO DE **PORTUGAL** | SECRETÁRIO DE ESTADO DA CULTURA

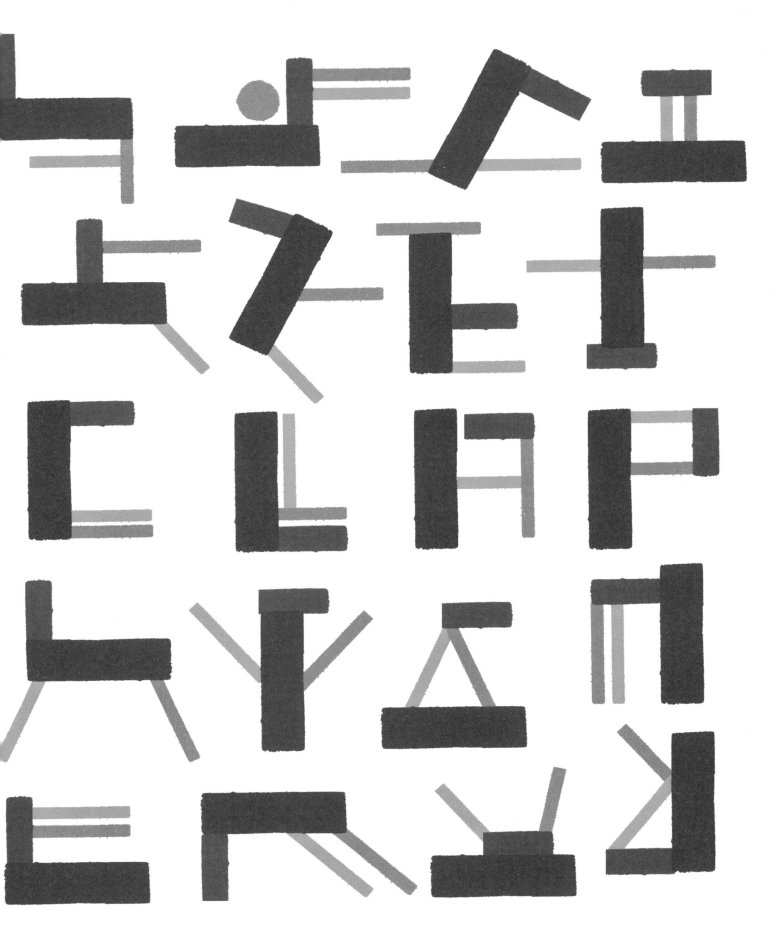

Doiiiing

1

Smac Smac

Toc

Toc

Toc

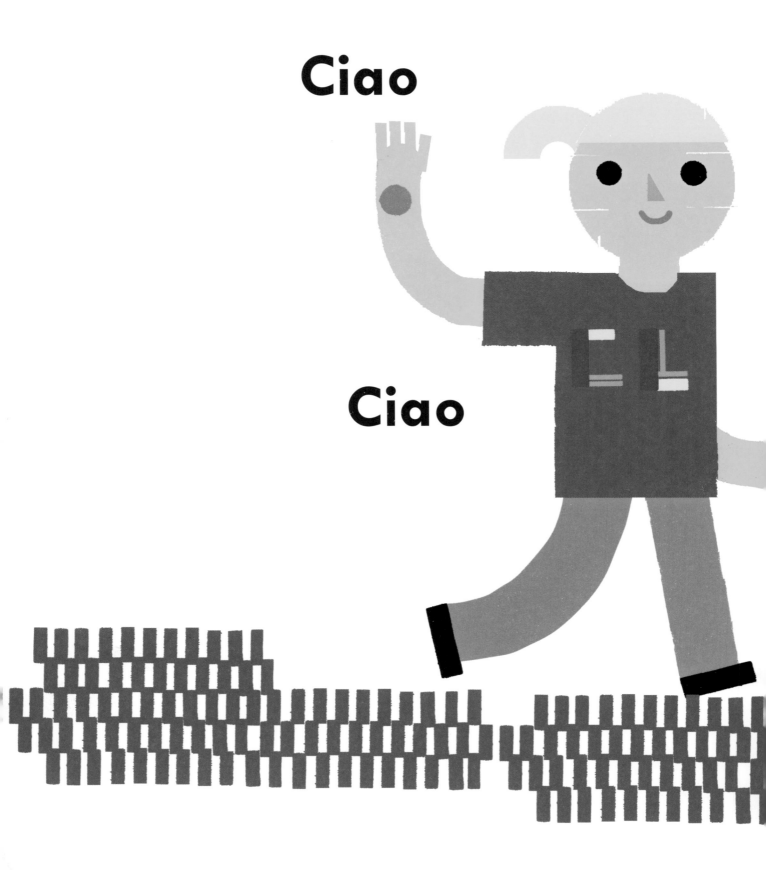

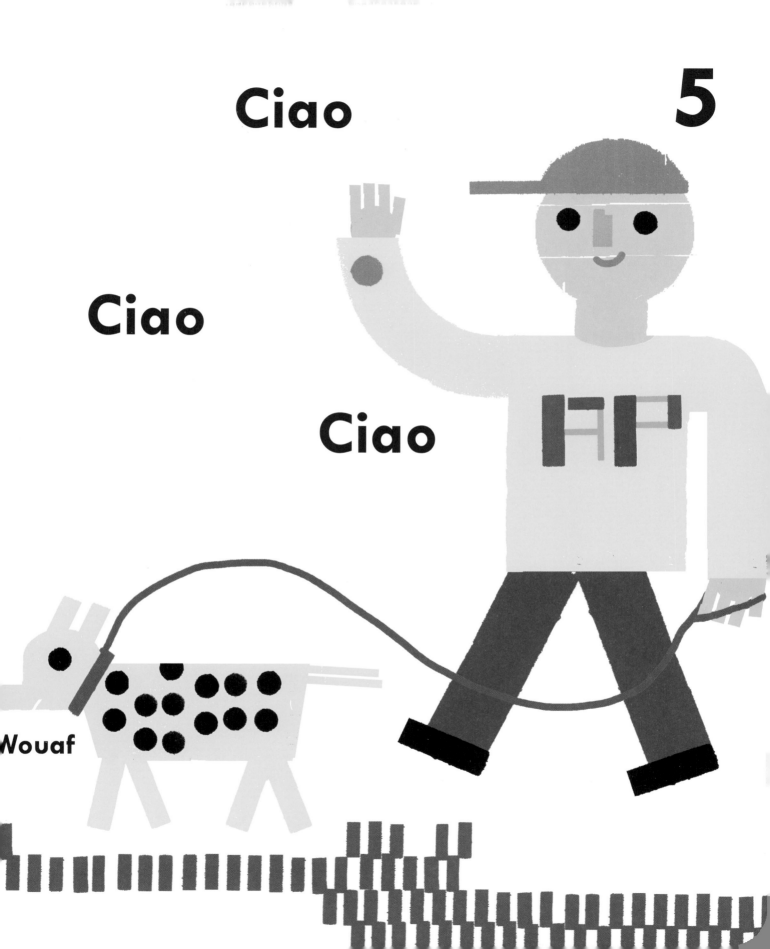

Ha

Qu'a-t-elle bien pu voir, la mère Michel ?

Pff
Pff
Pff
Pff
Pff

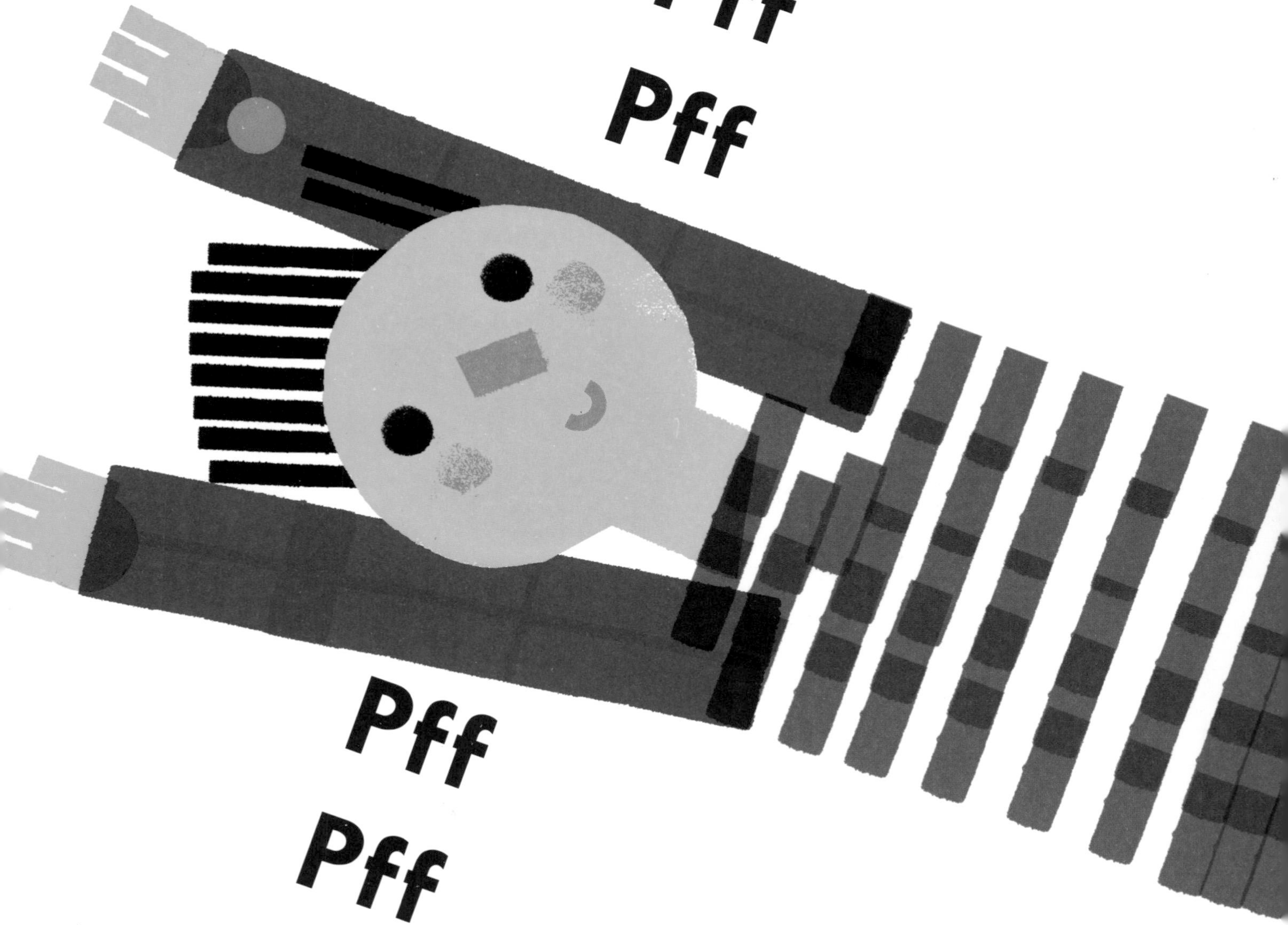

Pff
Pff

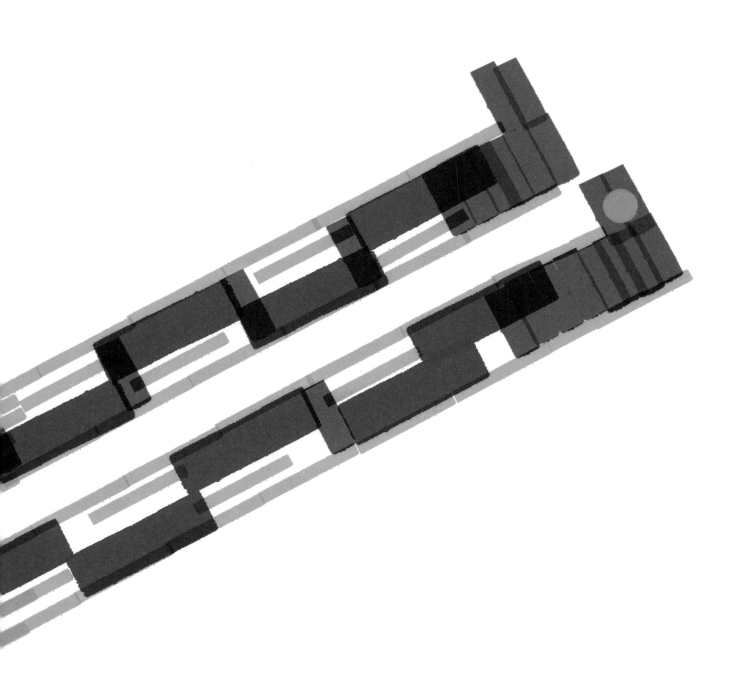

Tsouin
Tsouin
Tsouin
Tsouin

8

Cui-cui

Tsouin
Tsouin
Tsouin
Tsouin

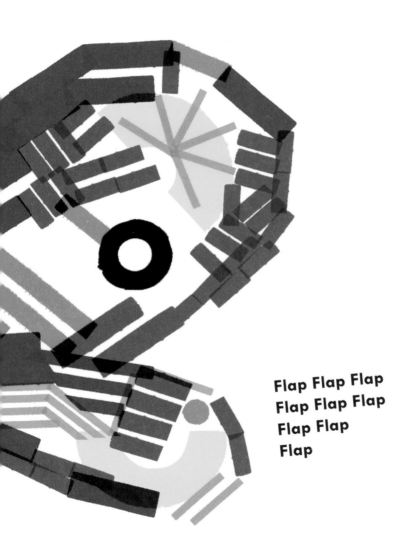

Flap Flap Flap
Flap Flap Flap
Flap Flap
Flap

Flap Flap Flap
Flap Flap

Flap Flap Flap Flap Flap

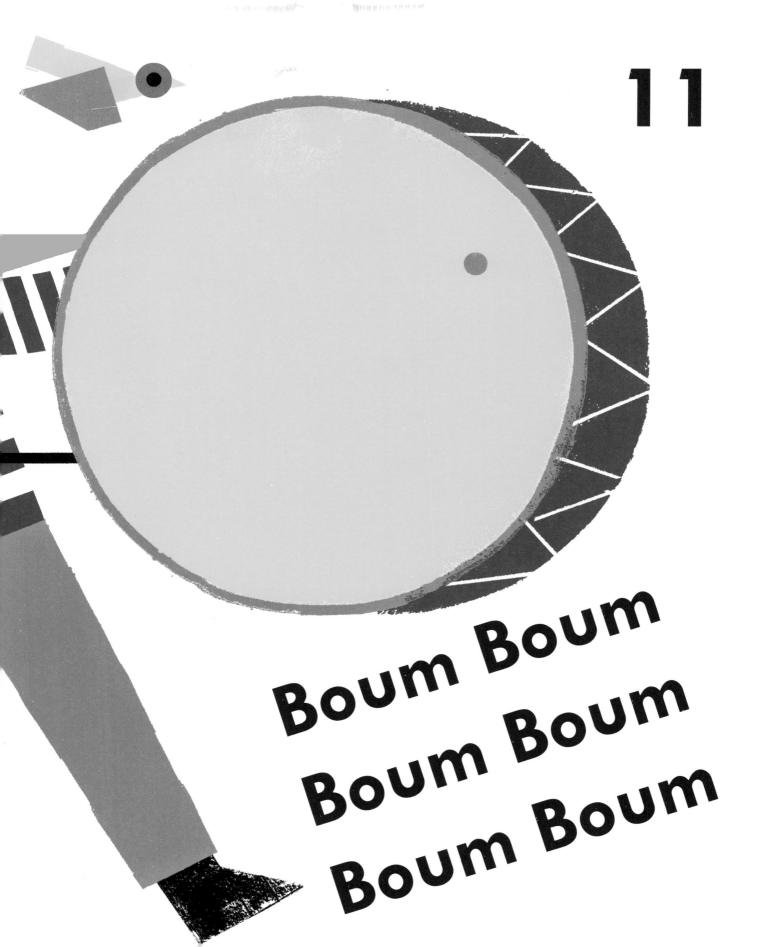

Boum Boum
Boum Boum
Boum Boum

PFF

PFF

PFF

PFF

PFF

PFF

PFF

PFF

PFF

PFF

PFF

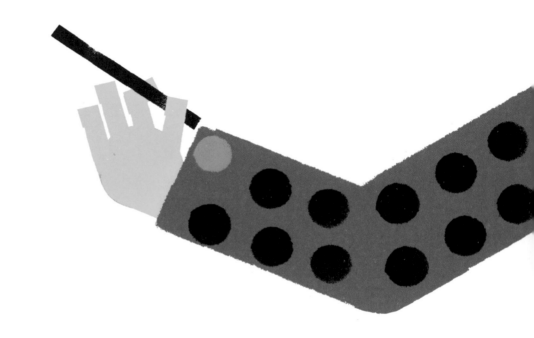

 Bzzzz

Ding Ding
Ding Ding Ding
Ding Ding
Ding Ding Ding
Ding Ding
Ding

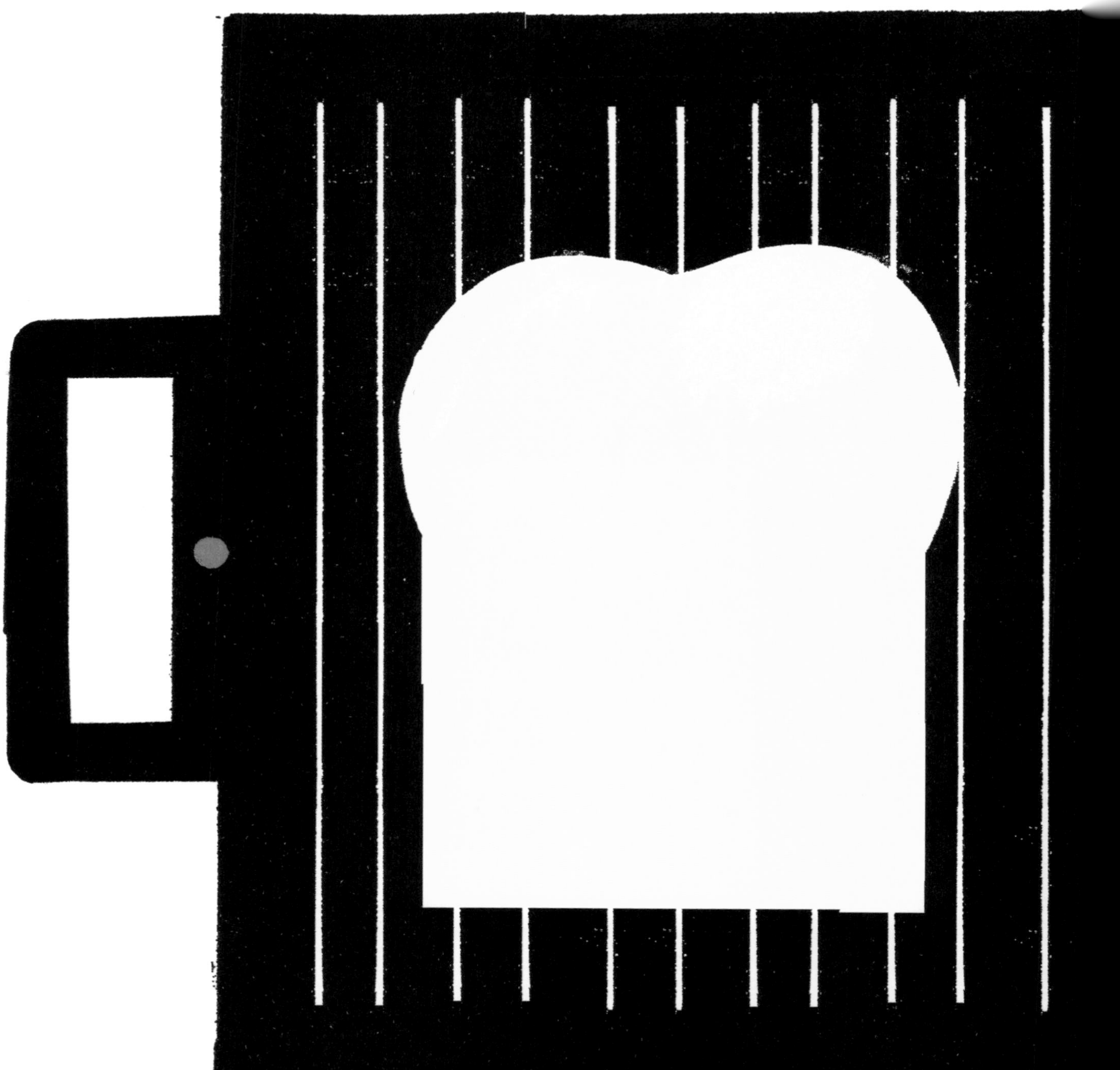

**Tch ch ch ch ch ch ch
ch ch ch ch ch ch ch**

Clap Clap
Clap Clap

Clap
Clap
Clap
Clap

Clap
Clap Clap

Clap
Clap
Clap
Clap